Cc

Gg

Ee

Dd

Hh

abcdefghijklm

First published 2017 by Brown Watson
The Old Mill, 76 Fleckney Road
Kibworth Beauchamp
Leicestershire LE8 0HG
ISBN: 978-0-7097-2489-6

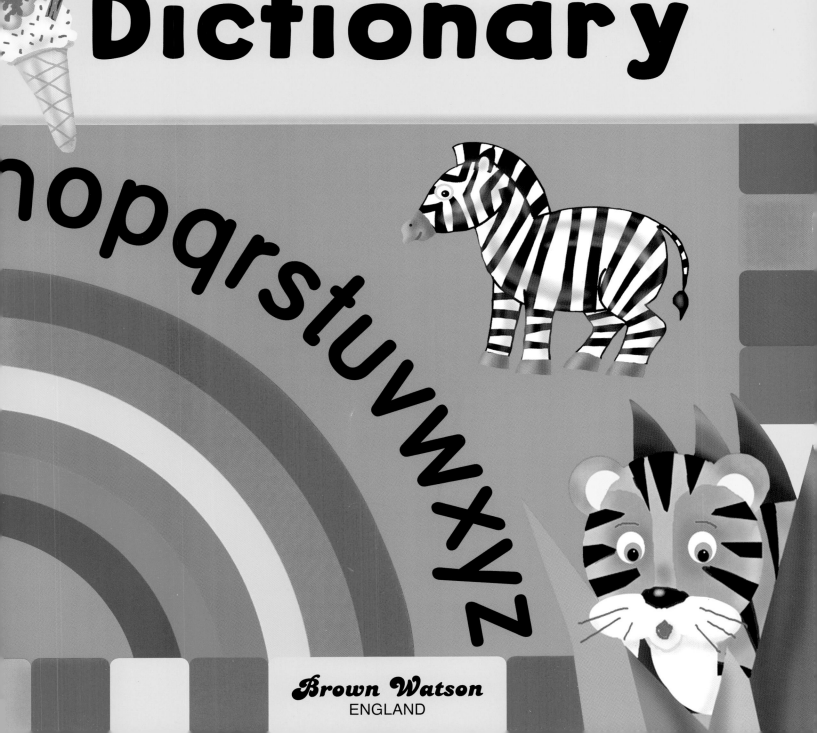

My First
PICTURE
Dictionary

nopqrstuvwxyz

Brown Watson
ENGLAND

Aa
Bb
Cc
Dd
Ee
Ff
Gg
Hh
Ii
Jj
Kk
Ll
Mm
Nn
Oo
Pp
Qq
Rr
Ss
Tt
Uu
Vv
Ww
Xx
Yy
Zz

Aa

apple

An apple is a fruit. Apples can be red, green or yellow.

alligator

An alligator has a long tail, short legs, and sharp teeth! Alligators live in rivers.

Bb

ball

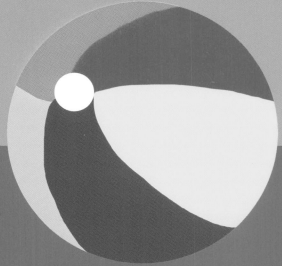

You can play lots of games with a ball, like football and tennis.

birthday

On our birthday we blow out candles on a cake to mark the day we were born.

Aa
Bb
Cc
Dd
Ee
Ff
Gg
Hh
Ii
Jj
Kk
Ll
Mm
Nn
Oo
Pp
Qq
Rr
Ss
Tt
Uu
Vv
Ww
Xx
Yy
Zz

Aa
Bb
Cc
Dd
Ee
Ff
Gg
Hh
Ii
Jj
Kk
Ll
Mm
Nn
Oo
Pp
Qq
Rr
Ss
Tt
Uu
Vv
Ww
Xx
Yy
Zz

Cc

cat

A cat is an animal you can keep as a pet. You can get lots of different types of cat, including wild ca

car

We drive a car to get us from one place to another.

Dd

dog

A dog is a friendly pet.
They enjoy walks and treats!

doctor

We go to see a doctor
when we are sick. They
can help us to get better.

Aa
Bb
Cc
Dd
Ee
Ff
Gg
Hh
Ii
Jj
Kk
Ll
Mm
Nn
Oo
Pp
Qq
Rr
Ss
Tt
Uu
Vv
Ww
Xx
Yy
Zz

Ee

egg

Eggs are laid by chickens. We can eat eggs boiled, scrambled, poached or fried.

elephant

You can find an elephant in a zoo. They have a long trunk.

Ff

flowers

We can grow flowers in our garden. They look pretty and smell nice.

farm

Lots of animals are kept on a farm. The farmer looks after them all.

Aa
Bb
Cc
Dd
Ee
Ff
Gg
Hh
Ii
Jj
Kk
Ll
Mm
Nn
Oo
Pp
Qq
Rr
Ss
Tt
Uu
Vv
Ww
Xx
Yy
Zz

Aa
Bb
Cc
Dd
Ee
Ff
Gg
Hh
Ii
Jj
Kk
Ll
Mm
Nn
Oo
Pp
Qq
Rr
Ss
Tt
Uu
Vv
Ww
Xx
Yy
Zz

Gg

giraffe

Giraffes have very long necks and live in Africa.

garden

You can play in the garden and also grow different types o plants and flowers.

Hh

hat

A hat is an item of clothing we wear on our heads.

horse

A horse is a big animal. People can ride horses.

I i

ice cream

Ice cream can keep us cool on
a hot day as it is very cold to eat.
It tastes delicious!

jelly

J j

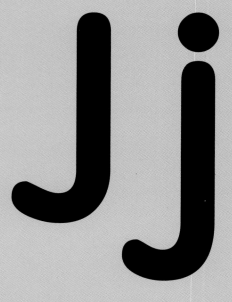

Jelly is fun to eat!
It is very wobbly.

Kk

kite

A kite is something that you fly.
You fly a kite in the air at the end of a long string.

kitten

A kitten is
a baby cat.

Aa
Bb
Cc
Dd
Ee
Ff
Gg
Hh
Ii
Jj
Kk
Ll
Mm
Nn
Oo
Pp
Qq
Rr
Ss
Tt
Uu
Vv
Ww
Xx
Yy
Zz

Aa
Bb
Cc
Dd
Ee
Ff
Gg
Hh
Ii
Jj
Kk
Ll
Mm
Nn
Oo
Pp
Qq
Rr
Ss
Tt
Uu
Vv
Ww
Xx
Yy
Zz

Ll

lightning

**Lightning happens during a thunderstorm.
It is a quick flash of light in the sky.**

lunch

**We eat
lunch between
breakfast and
dinner. What d
you like to ea
for your lunch**

Mm

moon

You can see the moon in the sky at night amongst all the stars.

mountain

A mountain is a very high piece of land.

Aa
Bb
Cc
Dd
Ee
Ff
Gg
Hh
Ii
Jj
Kk
Ll
Mm
Nn
Oo
Pp
Qq
Rr
Ss
Tt
Uu
Vv
Ww
Xx
Yy
Zz

Aa
Bb
Cc
Dd
Ee
Ff
Gg
Hh
Ii
Jj
Kk
Ll
Mm
Nn
Oo
Pp
Qq
Rr
Ss
Tt
Uu
Vv
Ww
Xx
Yy
Zz

Nn

number

We use numbers to tell us how many there are of things. We count with numbers.

night

Night time is when it is dark outside. We g to sleep at night.

Oo

owl

Owls are birds that only come out at night time.

orange

Orange is a colour and it is also a tasty, juicy fruit.

Aa
Bb
Cc
Dd
Ee
Ff
Gg
Hh
Ii
Jj
Kk
Ll
Mm
Nn
Oo
Pp
Qq
Rr
Ss
Tt
Uu
Vv
Ww
Xx
Yy
Zz

Aa
Bb
Cc
Dd
Ee
Ff
Gg
Hh
Ii
Jj
Kk
Ll
Mm
Nn
Oo
Pp
Qq
Rr
Ss
Tt
Uu
Vv
Ww
Xx
Yy
Zz

Pp

pencil

A pencil is something
we use to write with.

purse

We keep money in a
purse to keep it safe.

Qq

queen

A queen is a lady who rules a country.

quick

When you run, you are moving quickly.

Aa
Bb
Cc
Dd
Ee
Ff
Gg
Hh
Ii
Jj
Kk
Ll
Mm
Nn
Oo
Pp
Qq
Rr
Ss
Tt
Uu
Vv
Ww
Xx
Yy
Zz

Aa
Bb
Cc
Dd
Ee
Ff
Gg
Hh
Ii
Jj
Kk
Ll
Mm
Nn
Oo
Pp
Qq
Rr
Ss
Tt
Uu
Vv
Ww
Xx
Yy
Zz

Rr

rainbow

A rainbow happens when it is sunny and rains at the same time. It looks like an arch of beautiful colours.

rabbit

A rabbit is a small animal that hops. It has long ears and a small, bushy tail.

Ss

seaside

The seaside has a beach and we swim and play in the sea.

space

Out in space is where all the planets and stars live. Astronauts travel to space.

Aa
Bb
Cc
Dd
Ee
Ff
Gg
Hh
Ii
Jj
Kk
Ll
Mm
Nn
Oo
Pp
Qq
Rr
Ss
Tt
Uu
Vv
Ww
Xx
Yy
Zz

Tt

toys

Toys are fun things to play with.

teddy

A teddy is a soft cuddly toy.

Uu

umbrella

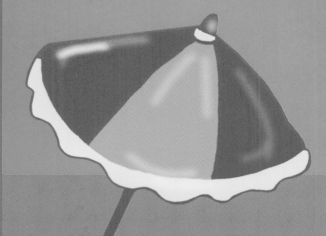

We use an umbrella to stop us getting wet when it is raining.

uniform

Some children wear a uniform to school. When we wear a uniform, we wear the same style of clothes as each other.

Aa
Bb
Cc
Dd
Ee
Ff
Gg
Hh
Ii
Jj
Kk
Ll
Mm
Nn
Oo
Pp
Qq
Rr
Ss
Tt
Uu
Vv
Ww
Xx
Yy
Zz

Aa
Bb
Cc
Dd
Ee
Ff
Gg
Hh
Ii
Jj
Kk
Ll
Mm
Nn
Oo
Pp
Qq
Rr
Ss
Tt
Uu
Vv
Ww
Xx
Yy
Zz

Vv

vegetable

Vegetables are very good for you! Carrots, peas and potatoes are all vegetables.

village

A village is a very small town where only a few people live.

Ww

whale

A whale is a huge animal that lives in the ocean.

writing

When you write you use a pencil or a pen and put words onto a piece of paper.

Aa
Bb
Cc
Dd
Ee
Ff
Gg
Hh
Ii
Jj
Kk
Ll
Mm
Nn
Oo
Pp
Qq
Rr
Ss
Tt
Uu
Vv
Ww
Xx
Yy
Zz

Xx

xylophon

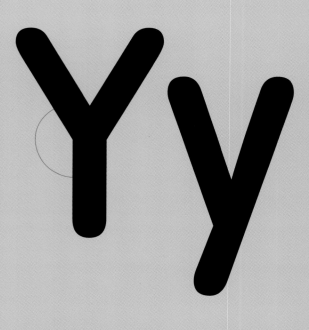

A xylophone is a musical instrumen which you play by tapping it with a kind of hammer.

yacht

Yy

A yacht is a small boat.

Zz

ZOO

A zoo is a place we can go to look at animals. There are all sorts of animals in a zoo.

Aa
Bb
Cc
Dd
Ee
Ff
Gg
Hh
Ii
Jj
Kk
Ll
Mm
Nn
Oo
Pp
Qq
Rr
Ss
Tt
Uu
Vv
Ww
Xx
Yy
Zz

Aa

Ff

Bb

Jj

Ii